● この本の、「はたらき」のぶぶんをさんこうにしましょう。

どんなはたらきをするじどう車なのかをかいせつしています。

● ファイルにするはたらくじどう車の名前をかきましょう。

● 自分の名前をかきましょう。

はたらくじどう車の名前: ブルドーザー

はたらき: でこぼこの地めんをけずって、たいらにします。土をおしはこんで、あつめるやくわりもあります。

つくり: 車体のまえに、大きなブレードがついています。

名前: いわさき たろう

しらべてみよう！ はたらくじどう車 ④

こうじで かつやくする じどう車

はたらくじどう車編集部 編

この本の見かた

この本では、ブルドーザーやショベルカー、クレーン車などを、「はたらき」と「つくり」にわけてしょうかいします。そのじどう車は、どんなはたらきをするのか、そのためにどんなつくりをしているのかがわかります。

● 4ページで大きくかいせつするじどう車が、4つあります。

はたらき
どんなふうにはたらくのかをしょうかいします。

つくり
とくちょうのあるぶぶんをとりあげて、しょうかいします。

●ほかにもいろいろなじどう車をしょうかいします。

はたらき
つくり

それぞれの、はたらきとつくりをとりあげます。

いちどにたくさんの土や石などをはこぶ
オフロードダンプトラック

はたらき
広い土地のかいはつなど、大きなこうじで、たくさんの土や石などをはこびます。

つくり
土や石などをはこぶ、大きなに台があります。おろすときは、に台をななめにします。

▲石をつんで走るようす

▶に台をななめにかたむけて、土をおろすようす

公道を走って土や石などをはこぶ
ダンプトラック

はたらき
土やすななどをに台につんで、公道※を通って、はなれたばしょにはこびます。

つくり
つんだ土やすななどをおろすとき、に台をななめにかたむけることができます。

※公道——こうじゅやかいしゃなどのしきちではなく、だれもが通れるどうろ。

オフロードダンプよりあれた土地を走れる
アーティキュレートダンプトラック

はたらき
道のないところを走って、たくさんの土や石などをはこぶことができます。

つくり
うんてんせきぶぶんと、に台ぶぶんの間でまがるので、いろいろな土地を走れます。

▶に台をななめに、かたむけたようす

▲ショベルカーが、に台に土をのせるようす

さいがいげんばでがれきなどもはこぶ
クローラキャリア

はたらき
こうじげんばだけでなく、さいがいげんばでも、土やすな、がれきなどもはこびます。

つくり
クローラでいろいろな土地を走ります。クローラの上は、かいてんします。

わたしたちの みのまわりでは、

たくさんのじどう車がはたらいています。

それぞれのじどう車のはたらきによって、

いろいろなこうじが行われ、くらしをささえているのです。

この本では、まえから気になっていた

じどう車についてしらべたり

いままでしらなかったけど、

おもしろそうなじどう車をみつけたりできるでしょう。

はたらきとつくりをしらべるのに やくだててください。

はたらくじどう車編集部

もくじ

この本の見かた 2

こうじでかつやくするじどう車のはたらきとつくり 6

ブルドーザーのはたらき 8

ブルドーザーのつくり 10

いろいろな土をはこぶじどう車

ブルドーザー（大がた）、ホイールローダー 12

モーターグレーダー、スキッドステアローダー 13

オフロードダンプトラック、アーティキュレートダンプトラック 14

ダンプトラック、クローラキャリア 15

もっとしらべてみよう！　せかいの大きなじどう車

バケット・ホイール・エクスカベーター(バガー293) 16

クローラー・トランスポーター(CT-2) 17

ショベルカーのはたらき 18

ショベルカーのつくり 20

いろいろなショベルカー

ミニショベル、アスタコ 22

かいたいしようショベル、マグネットしようショベル 23

クレーン車のはたらき 24

クレーン車のつくり 26

いろいろなクレーン車

オールテレーンクレーン、クローラクレーン 28

かにクレーン、トラックとうさいがたクレーン 29

コンクリートミキサー車のはたらき 30

コンクリートミキサー車のつくり 32

いろいろなこうじでかつやくするじどう車
- コンクリートポンプ車、パイルドライバー ……………………… 34
- アースドリル、じそうしきはさいき ……………………………… 35

しらべてなるほど！　こうじでかつやくするじどう車のふしぎ …… 36

まだまだある！　いろいろなばしょではたらくじどう車 …………… 38

いろいろなばしょではたらくじどう車
- ロードカッター、アスファルトフィニッシャー ………………… 40
- しんどうローラ、マカダムローラ ………………………………… 41
- こうしょさぎょう車、きょうりょうてんけん車 ………………… 42
- ゲレンデせいび用雪上車、なんきょくかんそく用雪上車 ……… 43
- トラクター、田うえき ……………………………………………… 44
- コンバイン、茶つみき ……………………………………………… 45
- フェラーバンチャ、ハーベスター ………………………………… 46
- スキッダ、フォワーダ ……………………………………………… 47

▲ ブルドーザー

▲ ショベルカー

▲ クレーン車

▲ コンクリートミキサー車

ブルドーザー

こうじでかつやくするじどう車の

ショベルカー

クレーン車

はたらきとつくり

ここからは、ブルドーザー、ショベルカー、クレーン車、コンクリートミキサー車についての、はたらきとつくりをくわしくかいせつします。

コンクリートミキサー車

ブルドーザーのはたらき

地(じ)めんをけずりながら土(つち)をおしはこぶ

たてものをたてるときなどは、はじめに地めんをたいらにします。ブルドーザーは、地めんのでこぼこを、けずりながらたいらにしていきます。土(つち)をおしはこび、あつめるやくわりもあります。

ブルドーザーのはたらくすがた

**ほかのじどう車と
いっしょにはたらく**

ブルドーザーがあつめた土を、ショベルカーがすくいとるなど、ほかのじどう車といっしょにはたらきます。

ブルドーザーのつくり

地めんをけずったり、おしはこんだりするために
ブルドーザーはどんなつくりをしているのでしょうか？

ブレード
地めんをけずり、土をおしはこぶための大きな
いたです。あげたり、ななめにしたりできます。

うんてんせき
とびらが左右についていて、どちらからでも出入りできます。

シリンダー
ブレードをうごかすときに、シリンダーがのびちぢみします。

クローラ
でこぼこの地めんや、ぬかるんだばしょでも、よくうごけます。

いろいろな

車体のうしろのリッパーで かたい岩をくだく

ブルドーザー（大がた）

◀ するどくとがったリッパーがある

はたらき

より広い土地で、地めんをたいらにしたり、土をおしはこんだりします。

つくり

よりたくさんの土をはこべる大きなブレードと、岩をくだくリッパーがついています。

大きなバケットで 土やすなをすくいあげる

ホイールローダー

▶ バケットをあげて、土やすなをダンプトラックにうつすことができる

はたらき

ブルドーザーがあつめたり、ショベルカーがほったりした、土やすなをはこびます。

つくり

土やすなをすくいあげる、バケットがついています。タイヤでうごきます。

バケット

土をはこぶじどう車

◀ ブレードで地めんをけずりながら走るようす

ブレード

車体の下のブレードで地めんをたいらにする

モーターグレーダー

はたらき
地めんのひょうめんをけずりながら走り、土地やどうろをたいらにととのえます。

つくり
うんてんせきとまえタイヤをむすぶ長いフレームの下に、ブレードがついています。

◀ バケットを、フォークという2本の長いツメにこうかんして、にもつをはこぶようす

いろいろなきのうをもつこがたホイールローダー

スキッドステアローダー

はたらき
ホイールローダーのように土やひりょうなどをはこびます。にもつをはこぶこともできます。

つくり
いろいろなものをはこべるように、バケットのぶぶんをこうかんすることができます。

いちどにたくさんの土や石などをはこぶ

オフロードダンプトラック

はたらき

広い土地のかいはつなど、大きなこうじで、たくさんの土や石などをはこびます。

つくり

土や石などをはこぶ、大きなに台があります。おろすときは、に台をななめにします。

▲ 石をつんで走るようす

オフロードダンプよりあれた土地を走れる

アーティキュレートダンプトラック

はたらき

道のないところを走って、たくさんの土や石などをはこぶことができます。

つくり

うんてんせきぶぶんと、に台ぶぶんの間でまがるので、いろいろな土地を走れます。

▶ ショベルカーが、に台に土をのせるようす

▶ に台をななめにかたむけて、土をおろすようす

公道を走って土や石などをはこぶ

ダンプトラック

はたらき
土やすななどをに台につんで、公道※を通って、はなれたばしょにはこびます。

つくり
つんだ土やすななどをおろすとき、に台をななめにかたむけることができます。

※公道……こじんやかいしゃなどのしきちではなく、だれもが通れるどうろ。

▶ に台をななめに、かたむけたようす

さいがいげんばでがれきなどもはこぶ

クローラキャリア

はたらき
こうじげんばだけでなく、さいがいげんばでも、土やすな、がれきなどをはこびます。

つくり
クローラでいろいろな土地を走ります。クローラの上は、かいてんします。

15

もっとしらべてみよう！
せかいの大きなじどう車

こうじでかつやくするじどう車は、大きくてはくりょくがあります。
海外でかつやくする、とても大きな２つの車をしょうかいします。

せかいいち大きいショベルカー
バケット・ホイール・エクスカベーター（バガー293）

長さ225メートル、高さ96メートルの、とても大きなドイツのショベルカーです。18このバケットがついた、ホイールがかいてんして、地めんをほります。石たんをほり出すときにつかわれています。

せかいいちおもいゆそう用じどう車
クローラー・トランスポーター（CT-2）

ロケットをはっしゃばしょまではこぶ、アメリカのゆそう用じどう車です。長さ40メートル、はば35メートル、高さは6〜8メートルで、おもさはやく2700トンにもなります。

ショベルカーのはたらき

地めんをほり土やすなをすくいとる

地めんをほったり、土やすなをいどうさせたりするときにかつやくします。土やすなをすくいとって、トラックのに台などにはこびます。ゆあつショベルともよばれます。

土をたいらにする こともできる

ショベルカーは、地めんをなでるようにしてたいらにしたり、たたいて土をかためたりすることもできます。

ショベルカーのつくり

地めんをほったり、土やすなをすくったりするために
ショベルカーはどんなつくりをしているのでしょうか？

シリンダー

3つのシリンダーがのびちぢみすることで、アームやバケットがうごきます。

うんてんせき

ざせきのりょうがわにあるレバーで、きかいのそうさをします。

アーム

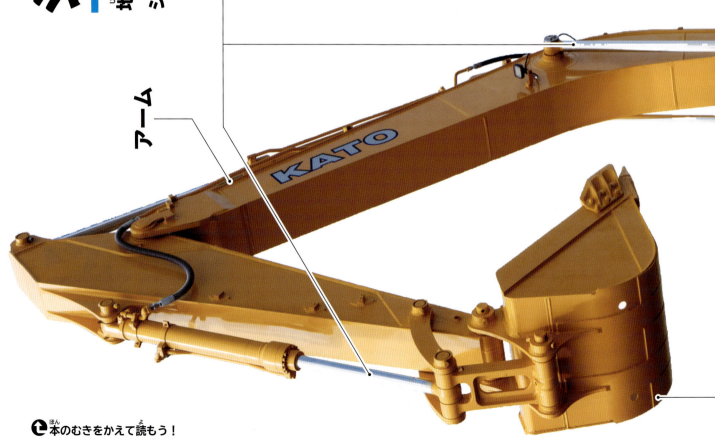

e 本のむきをかえて読もう！

20

▲ モニターでは、うしろがわのかくにんなどができる

クローラ

あれた地めんや、しゃめんでもうごきやすい、クローラがあります。

バケット

土やすなをすくうぶぶんです。つめで、かたい地めんもほれます。

21

いろいろな

小がたの ショベルカー

ミニショベル

はたらき

せまいばしょで、地めんをほったり、土やすなをはこんだりします。

つくり

ショベルカーと同じつくりです。クローラでうごき、バケットで土やすなをすくいます。

▲ 車体のまえに、土をおしはこぶブレードがついている

ロボットのように アームをうごかす

アスタコ

はたらき

こうじげんばや、さいがいげんばで、がれきをこまかくしたり、はこんだりします。

つくり

ひとがたロボットのように2本のアームがあり、左右でちがううごきができます。

▶ 右のアームでつかんで、左のアームで切るようす

ショベルカー

▶ アームの長さは、いろいろなタイプがある

古くなったたてものなどをこわす

かいたいしようショベル

はたらき
アームの先のカッターをつかって、たてものなどをとりこわします。

つくり
ショベルカーのバケットのぶぶんが、はさみのようなかたちのカッターになっています。

▶ アームの先のじしゃくで、きんぞくを引きつけるようす

じしゃくの力できんぞくを引きつける

マグネットしようショベル

はたらき
ごみの中から、てつなどのきんぞくをとり出すときなどにつかわれます。

つくり
ショベルカーのバケットのぶぶんが、大きなじしゃくになっています。

23

クレーン車のはたらき

おもいものをつりあげてはこぶ

おもいものを、いどうさせるときに、クレーンでつりあげてはこびます。クレーンでつりあげては、クレーンを長くのばして、高いばしょにはこんだり、高いばしょからおろしたりすることができます。

クレーン車のはたらくすがた

クレーンをたたんで走る

このしゃしんの、ラフテレーンクレーンといういうるいのクレーン車は、クレーンをたたんで、公道を走ることができます。

本のむきをかえて読もう！

クレーン車のつくり

おもいものをつりあげてはこぶために、クレーン車はどんなつくりをしているのでしょうか？

フック

はこぶものをひっかけて、つりあげるぶぶんです。2つのフックがあります。

まえ

うんてんせき

つりあげたものが見えるように、うんてんせきの上はガラスばりです。クレーンそうさ用のレバーと、うんてん用のハンドルのりょうほうがついています。

ロープ

てつでできたロープでつりあげます。クレーンの下のほうにまかれています。

うしろ

アウトリガー

クレーンをのばすときに、車体がたおれないようにささえます。

タイヤ

8つあるタイヤをいろいろな向きにできるので、こまわりがききます。

いろいろな

よりはやく走れる おおがたのクレーン車
オールテレーンクレーン

はたらき
ラフテレーンクレーンよりもはやく走り、よりおもいものをつりあげます。

つくり
ラフテレーンクレーンよりも大きな車体で、長いクレーンをもっています。

▶車のうんてんせきと、クレーンのそうじゅうせきがべつになっている

クローラでいどうする クレーン車
クローラクレーン

はたらき
ぬかるんだ地めんなど、バランスがとりづらいばしょで、つりあげることができます。

つくり
車体のうしろがわにあるカウンターウェイトというおもりでバランスをとります。

◀三角形をくみ合わせたほねぐみのクレーンぶぶん

カウンターウェイト

クレーン車

▲ アウトリガーをたたんでクローラでいどうする

カニの足のように
アウトリガーが広がる

かにクレーン

はたらき

小がたなので、せまいばしょや、たてものの中などで、にもつのつりあげができます。

つくり

クレーンをつかうときは、アウトリガーが4本足のように広がります。

▶ クレーンのねもとに、そうさレバーなどがある

クレーンと
トラックが合体

トラックとうさいがたクレーン

はたらき

おもいにもつを、クレーンをつかって、に台にのせることができます。

つくり

うんてんせきと、に台の間にクレーンがあります。アウトリガーもあります。

29

コンクリートミキサー車の

ドラムを回しながら生コンクリートをはこぶ

ビルやはし、どうろなどをつくるときにつかわれる、生コンクリートをはこぶ車です。に台につんだ大きなドラムをグルグル回しながら走ります。

はたらき

コンクリートミキサー車のはたらくすがた

工場でできたての生コンクリートを入れる

かたまるまえのどろどろしたコンクリートを生コンクリートとよびます。工場でまぜたばかりの生コンクリートを入れて、しゅっぱつします。

コンクリートミキサー車の

生コンクリートをはこぶコンクリートミキサー車は
どんなつくりになっているのでしょうか？

ドラム
生コンクリートをためるところです。かたまらないように回しながら走ります。

ドラムのそうさばん
レバーをうごかして、ドラムの回るスピードやむきをかえます。

つくり

ホッパ
生コンクリートをドラムに入れる口です。ゴミや雨が入らないようにふたをすることもできます。

うしろ

シュート
生コンクリートを出すところです。むきをかえてどのほうこうにも出せます。

水タンク
車についた生コンクリートをあらうための水が入っています。

いろいろなこうじで

生コンクリートをつかうばしょへおくる

コンクリートポンプ車

はたらき
ミキサー車がはこんできた生コンクリートを、ポンプをつかっておくり出します。

つくり
車体のうしろから入れた生コンクリートが、長くのびるブームの先から出てきます。

▶ 高いビルなどをたてるときは、ブームの長いタイプがひつようになる

たてものをささえるくいを地中にうつ

パイルドライバー

はたらき
たてものをささえるための長いくいを、地下ふかくのがんじょうなばしょまでうちこみます。

つくり
地中ふかくまであなをほるための、長いドリルがあります。車体はクローラでうごきます。

▲ くいをうちこむようす

かつやくするじどう車

▲ いどうするときはブームをたたむ

コンクリートでくいをつくる

アースドリル

はたらき
地中ふかくまであなをほって、生コンクリートをながしこみ、くいをつくります。

つくり
のばしたブームには、あなをほるための、ドリルのようなそうちがついています。

▲ しゃしんの右のほうから、こまかくなったものが出てきている

岩や石などをこまかくくだく

じそうしきはさいき

はたらき
こうじげんばで出た、コンクリートや岩、石などを、こまかくくだきます。

つくり
車体がくだくそうちになっていて、岩などが中を通るとこまかくなって出てきます。

35

しらべて なるほど！
こうじでかつやくするじどう車のふしぎ

ブルドーザーやショベルカーなどの、いろいろなぎもんについてかいせつします。こうじでかつやくするじどう車のひみつにせまります。

Q どうして黄色のじどう車が多いの？

A きけんを知らせるため

こうじのばしょはいろいろな音がしているため、車が近づいても気がつかず、大きなじこがおこることもあります。車の色を黄色にすることで、きけんをしらせて、車を見つけやすくしています。

Q クローラは、てつとゴムでどうちがうの？

A じょうぶさや、しずかさなどがちがう

てつのクローラはじょうぶで、かたい地めんや岩のあるばしょでも走ることができます。ゴムのクローラは地めんをきずつけることが少なく、いどうするときの音もしずかです。

Q こうじげんばまで、どうやっていどうするの？

A トレーラーではこぶ

ショベルカーやブルドーザーなどのクローラで走るじどう車は、どうろを走ることができません。そのため、トラックやトレーラーにのせて、こうじげんばまではこびます。

Q ビルの上のクレーンも、クレーン車？

A 組み立てしきのタワークレーン

高いビルの上などに見えるクレーンは、クレーン車ではなくタワークレーンといいます。ビルの中や外がわにとりつけられて、組み立てながらビルといっしょに高くなります。

Q クレーン車は、アウトリガーをぜんぶ出せないとどうなる？

A はこべるおもさがかわる

アウトリガーは車体をささえてたおれないようにするそうちです。せまいばしょなどで、アウトリガーをぜんぶ出せないときは、ぜんぶ出したときよりも、かるいものしかつりあげられません。

マカダムローラ

まだまだある！いろいろな

なんきょくかんそく用雪上車(ようせつじょうしゃ)

トラクター

ばしょではたらくじどう車

どうろこうじや、のうぎょう、りんぎょうなどで、
かつやくするじどう車を
しょうかいします。

ハーベスター

いろいろな ばしょで

どうろのひょうめんをけずりとる
ロードカッター

はたらき

あれたどうろをきれいになおすときに、ひょうめんのアスファルトをけずりとります。

つくり

車体の下に、アスファルトをけずるがんじょうなカッターがあります。

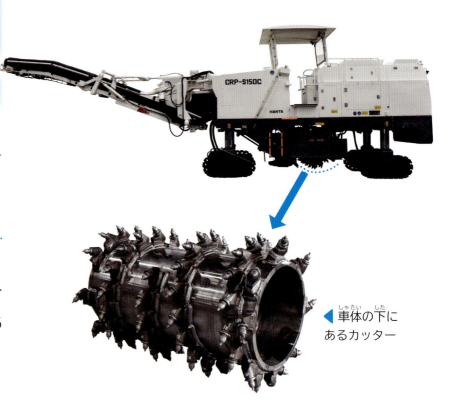

◀ 車体の下にあるカッター

どうろに新しいアスファルトをしく
アスファルトフィニッシャー

はたらき

新しいどうろをつくるときや、どうろをなおすときに、アスファルトをまきます。

つくり

まえのかごからアスファルトをとり入れ、うごきながらアスファルトをまいていきます。

かご

◀ どうろのはばに合わせて、まくはばもかえられる

はたらくじどう車

走りながら地めんをかためる

しんどうローラ

はたらき

ローラをしんどうさせながら走ることで、こうじげんばなどの地めんをかためます。

つくり

まえタイヤにあたるぶぶんが、大きくておもいローラになっています。

▲ ローラで地めんをかためるようす

アスファルトの上を走ってかためる

マカダムローラ

はたらき

アスファルトをまいたあとに、上を走りながらローラでかためます。

つくり

てつでできたローラがまえに2つ、うしろに一つついた、三りん車のような見た目です。

▲ アスファルトをかためるようす

かごにのって高いばしょでさぎょう

こうしょさぎょう車

はたらき

電線のこうじなど、高いばしょでさぎょうするときにつかわれます。

つくり

に台にのびちぢみするブームがあり、先たんにはひとがのるかごがついています。

ブーム

▲走るときはブームをおりたたむ

はしの上からうらがわをしらべる

きょうりょうてんけん車

はたらき

はしの上に車をとめて、はしのうらがわのちょうさやてんけんをします。

つくり

に台のブームがのびて、はしのうらがわまでまわりこむことができます。

▶はしのてんけんのようす

▲ うしろのローターぶぶん

▲ ブレードで雪をおし出すようす

スキー場の雪をととのえる
ゲレンデせいび用雪上車

はたらき
スキー場のゲレンデを走りながら、雪のひょうめんをたいらにととのえます。

つくり
まえには雪をおすブレードがあり、うしろには雪をととのえるローターがあります。

▶ 雪の中でもめだつオレンジ色の雪上車

◀ みどり色のさいしんがたの雪上車

なんきょくの雪とさむさにたいおう
なんきょくかんそく用雪上車

はたらき
なんきょくでのかんそくや、ひとやものをはこぶためのじどう車です。

つくり
クローラで走ります。きびしいさむさにたえるため、じょうぶにつくられています。

いろいろなのうさぎょうにたいおう

トラクター

はたらき

はたけをたがやしたり、ひりょうをまいたり、のうさぎょうでかつやくします。

つくり

さぎょうきとよばれるきかいをとりかえることで、いろいろなさぎょうができます。

▲ ロータリーをとりつけて、はたけをたがやすようす

お米のなえを田んぼにうえる

田うえき

はたらき

田んぼの中をいどうしながら、お米のなえを、せいかくにうえることができます。

つくり

うしろの台になえをセットすると、なえを1本ずつ、じどうでうえていきます。

▲ 田うえのようす

▲ かりとりのようす

イネやムギなどをしゅうかくする
コンバイン

はたらき
みのったイネやムギの上を走りながら、かりとりからみのとり出しまで行います。

つくり
先たんにかりとるためのカッターがあり、うしろにはみをあつめるきかいがあります。

▲ 茶つみのようす

茶ばたけを走ってはをつみとる
茶つみき

はたらき
茶ばたけの中をいどうしながら、じどうでお茶のはをつみとります。

つくり
カッターでお茶のはをかりとります。かりとったはは、うしろのコンテナに入ります。

45

木を切りたおして つかんではこぶ

フェラーバンチャ

はたらき

木を切るだけでなく、切るとどうじにつかんで、はこぶことができます。

つくり

アームの先に、木を切ったり、つかんだりできる、はのついたバケットがあります。

◀木をつかむようす

木を切って 丸太にする

ハーベスター

はたらき

木を切るとどうじにつかんで、さらにえだをとって、丸太にすることができます。

つくり

アームの先には、木を切るだけでなく、つかんだまま、えだをとるきかいがあります。

◀木のえだをとって丸太にするようす

丸太をつかんで引きずるようにはこぶ

スキッダ

はたらき
切りたおしておいてある丸太を、つかんで引きずりながらはこびます。

つくり
丸太をつかむグラップルがついています。ウインチで丸太をあつめることもできます。

◀ 数本の丸太をつかむことができる

丸太をつんでまとめてはこぶ

フォワーダ

はたらき
切りたおしておいてある丸太を、つかんで、に台につみこみ、はこびます。

つくり
丸太をつかむアームと、のせるに台があります。に台ぶぶんはクローラで走ります。

▼ たくさんの丸太をまとめてはこぶことができる

47

取材協力

本陣水越（ブルドーザー、トレーラー）、加藤製作所（クローラキャリア、ショベルカー、ミニショベル、クレーン車）、
東京コンクリート（コンクリートミキサー車）

画像協力

コマツ（P8、P12下段、P13上段、P14、P35下段、P46下段）、伊藤岳志（P12上段）、三菱ロジスネクスト（P13下段）、
日立建機（P22下段）、加藤製作所（P23、P28、P35上段、P46上段、P47下段）、前田製作所（P29上段）、
極東開発工業（P34上段）、日本車輌製造（P34下段）、範多機械（P40上段）、住友建機（P40下段）、酒井重工業（P41）、
タダノ（P42）、大原鉄工所（P43上段）、国立極地研究所（P43下段）、ヤンマー（P44、P45上段）、落合刃物工業（P45下段）、
イワフジ工業（P47上段）、picture alliance/アフロ（P16）、サイネットフォト（P17）、ピクスタ（P9、P15上段、P23下段上、
P24かこみ、P29下段、P36イラスト、P37中段、後見返しイラスト）

● 構成・文　美和企画（大塚健太郎、嘉屋剛史）
● デザイン　ダイアートプランニング（松林環美）
● 撮影　設楽政浩、米屋こうじ

しらべてみよう! はたらくじどう車❹

こうじでかつやくするじどう車

2025年2月28日 第1刷発行

発行者　小松崎敬子
発行所　株式会社岩崎書店
　　　　〒112-0014　東京都文京区関口2-3-3 7F
　　　　電話03-6626-5080（営業）　03-6626-5082（編集）

編集　はたらくじどう車編集部
印刷所　株式会社精興社
製本所　大村製本株式会社

ISBN　978-4-265-09210-9
NDC537　29×22cm　48p
©2025 Miwakikaku
Published by IWASAKI Publishing Co., Ltd. Printed in Japan
岩崎書店ホームページ　https://www.iwasakishoten.co.jp/
ご意見ご感想をお寄せください。info@iwasakishoten.co.jp
乱丁本、落丁本は小社負担にておとりかえいたします。

本のコピー、スキャン、デジタル化等の無断複製は著作権法上での例外を除き禁じられています。本書を代行
業者等の第三者に依頼してスキャンやデジタル化することは、たとえ個人や家庭内での利用であっても一切認
められておりません。朗読や読み聞かせ動画の無断での配信も著作権法で禁じられています。

しらべてみよう!
はたらくじどう車

はたらくじどう車編集部 編

❶ まちをまもるじどう車
❷ くらしをささえるじどう車
❸ ひとやものをはこぶじどう車
❹ こうじでかつやくするじどう車

さくいん

あ行
- アウトリガー……………27、29、37
- アスファルト………………………40、41
- アーム………20、22、23、46、47
- ウインチ……………………………47
- イネ…………………………………45
- うんてんせき………11、13、14、20、26、28、29
- お米…………………………………44
- お茶のは……………………………45

か行
- カウンターウェイト………………28
- かご……………………………40、42
- カッター…………………………23、40、45
- くい………………………………34、35
- グラップル…………………………47
- クレーン……24、26、27、28、29、37
- クローラ…11、15、21、22、28、29、34、36、37、43、47
- コンクリート……………………31、35
- コンテナ……………………………45

さ行
- じしゃく……………………………23
- シュート……………………………33
- シリンダー………………………11、20
- スキー場……………………………43

た行
- タイヤ………………12、13、27、41
- タワークレーン……………………37
- 田んぼ………………………………44
- 茶ばたけ……………………………45
- 電線…………………………………42
- ドラム…………………………30、32、33
- ドラムのそうさばん………………32
- ドリル……………………………34、35
- トレーラー…………………………37

な行
- なえ…………………………………44
- 生コンクリート……30、31、32、33、34、35

は行
- バケット………12、13、17、20、21、22、23、46
- はし…………………………………42
- はたけ………………………………44
- フォーク……………………………13
- フック………………………………26
- ブーム…………………………34、35、42
- ブレード……10、11、12、13、22、43
- フレーム……………………………13
- ホイール……………………………17
- ホッパ………………………………33
- ポンプ………………………………34

や行
- ゆあつショベル……………………18

ま行
- 丸太……………………………46、47
- 水タンク……………………………33
- ムギ…………………………………45
- モニター……………………………21

ら行
- ラフテレーンクレーン…………24、28
- リッパー……………………………12
- ロケット……………………………17
- ローター……………………………43
- ロータリー…………………………44
- ロープ………………………………27
- ローラ………………………………41

はたらくじどう車の「つくり」を中心にしたさくいんです。じどう車の名前は、「もくじ」でさがしてください。

右のページをコピーして
つかいましょう。